유아 연산의 기준

칸토의 연산

받아올림·내림 없는
(두 자리 수 ± 한 자리 수)

"취학 전 우리 아이가 해야 할 수학은?"

아이를 키우는 부모님이라면 하나같이 우리 아이가 수학을 좋아하고 잘했으면 하는 바람일 것입니다. 수학에 대한 안 좋은 기억이 있으신 부모님들이라면 더더욱 걱정과 조바심 속에 초등학교 가기 훨씬 전부터 아이에게 여러 문제집을 풀게 하며 수학에 많은 시간을 사용합니다. 지금까지 아이가 푼 문제집을 쌓아 올리며 부모님 스스로가 뿌듯해 하기도 합니다.

그런데 아이가 수학을 잘하기 위해 초등학교 입학 전에 해야 할 가장 중요한 것은 무엇일까요?

수학에 관심을 갖고 수학에 재미를 느끼는 것입니다.

그러나 현실은 그렇지 않습니다. 아이들은 방대한 양의 반복된 문제를 풀며 가장 중요한 목표인 재미로부터 멀찌감치 떨어져 출발하게 됩니다. 첫 단추가 잘못 끼워지니 그 이후의 단추들도 제대로 끼워지기 어렵습니다. 아이가 처음 숫자를 보고 읽고 수를 셀 때의 희망찬 모습에서 어느덧 수 앞에만 서면 작아지는 아이의 모습으로 부모님의 새로운 걱정은 시작됩니다. 이를 바로잡으려 부모님께서 다시 힘을 내보려 하지만 너무 오래된 수학이 낯설고 멀게만 느껴집니다.

「칸토의 연산」은 아이에게는 아이의 시선에 맞게 문제의 형태와 양을 재미있게 구성하여 즐거운 시간이 될 수 있게 하였고, 부모님께는 아이를 가까이서 직접 지도할 수 있는 학습 가이드(칸토 쌤)를 제공하여 최고의 선생님이 될 수 있게 하였습니다.

수학을 잘하기 위해서는 한 문제를 끝까지 풀기 위한 노력과 끈기도 필요합니다. 하지만 수학을 잘하기 위해 지금 부모님께서 해야 할 일은 아이에게 수학에 대한 좋은 첫인상을 심어주는 것입니다. 문제 푸는 것을 어려워한다면 과감히 다음 기회로 넘기고 기다려주세요. 첫 만남이 나쁘지 않았던 우리 아이는 다시금 수학을 찾고 수학과 더 깊은 관계로 발전해 나갈 수 있을 거예요.

"초등 입학 전 연산 딱 4가지만 알고 가요."

취학 전 우리 아이가 반드시 학습해야 할 연산 주제 4가지를 제시합니다.

수 세기(1~50)

[수 세기 방법 4가지]

① 앞으로 세기 1, 2, 3, 4, 5, ······
② 거꾸로 세기 10, 9, 8, 7, ······
③ 이어 세기 5, 6, 7, 8, 9, ······
④ 묶어 세기 2, 4, 6, 8, 10, ······
(뛰어 세기)

수를 세는 과정에는 덧셈과 뺄셈의 원리가 숨어 있어요.
실생활 소재(음식, 물건, 계단)와 수 세기 모형(주사위, 수직선, 계란판)을 이용하여 반복하여 연습해 주세요.
아이의 수·연산 감각을 발달시킬 수 있는 출발점입니다.

수 계열(1~50)

[50까지의 수 배열표]

1 큰 수 →
10 큰 수 ↓

1	2	3	4	5	6	7	8	9	10
11	12	13	14	15	16	17	18	19	20
21	22	23	24	25	26	27	28	29	30
31	32	33	34	35	36	37	38	39	40
41	42	43	44	45	46	47	48	49	50

10 작은 수 ↑
1 작은 수 ←

50까지의 수 배열표를 관찰하며 수의 구성과 각 수들 간의 관계를 파악하고 50까지의 수를 익혀요. 수 배열표를 머릿속으로 그릴 수 있어야 해요.

[모으기]

2   3

[ ]

[가르기]

7

2   [ ]

9까지의 수를 모으고 가르는 활동은 덧셈, 뺄셈의 기초이며 핵심 원리예요.
손가락뿐만 아니라 생활 속 다양한 구체물을 활용하여 반복적으로 연습해 보세요.

[동적 상황의 덧셈·뺄셈]

2 + 3 = [ ]   7 − 2 = [ ]

덧셈, 뺄셈은 동적인 상황(첨가, 제거)과 정적인 상황(합병, 비교) 2가지가 있어요. 이것을 잘 이해하면 덧셈·뺄셈 문장제 문제를 해결하는 데 큰 도움이 돼요.

모으기·가르기(1~9)

덧셈·뺄셈(0~9)

단계별 구성

칸토의 연산 시리즈

(9단계, 총 36권)

- 연산의 원리부터 재미있는 퍼즐형 문제까지 다루는 기본 난이도의 연산 교재
- 나선형 반복 학습과 확장 커리큘럼
- [칸토의 연산] ➡ [응용 연산]으로 이어지는 기본·심화 연산 학습 설계
- 단계별 4권, 9단계 총 36권 구성
- 한 단계 4개월 완성
- 학년별 교과서 진도와 맞춤 병행

이 책의 **칸토** 구성과 특징

- 하루 2쪽, 매주 5일씩 4주 동안 완성하는 연산 프로그램이에요.
- 연령별 아이의 학습 눈높이와 학습 체력에 맞게 쉬운 난이도와 하루 10분 정도의 학습 분량으로 구성하였어요.
- 선생님과 같은 실력으로 아이를 지도할 수 있게 「칸토 쌤」 코너에 알찬 학습 가이드를 수록하였어요.

---

1 학습 안내 · 무엇을 공부할까요?

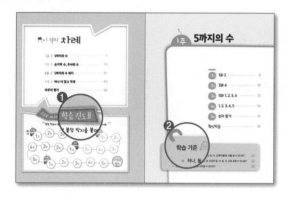

❶ 붙임 딱지를 붙여 학습 진도를 체크해요.

❷ 이번 주에 꼭 알아야 할 학습 기준을 체크해요.
공부 전에 간단히 살펴보고, 한 주 공부가 끝나면 반드시 확인해 보세요.

2 일일 학습 · 매주 5일씩 4주 동안 공부해요.

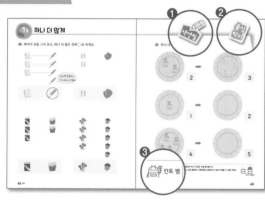

❶ 색연필을 사용하는 활동이에요.

❷ 붙임 딱지를 붙이는 활동이에요.

❸ 연산의 개념, 원리, 활용뿐만 아니라 아이의 학습 심리 상태를 파악할 수 있는 학습 가이드를 꼭 참고하세요.

3 확인 학습 · 이번주 배운 내용을 잘 알고 있나요?

4 마무리 평가 · 4주 동안 배운 내용을 잘 알고 있나요?

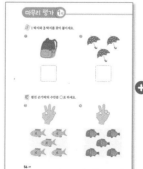

이 책의 차례

스스로 체크하는 학습 진도표

"일일 학습이 끝나면 붙임 딱지를 붙여 학습 진도를 표시해 보세요.

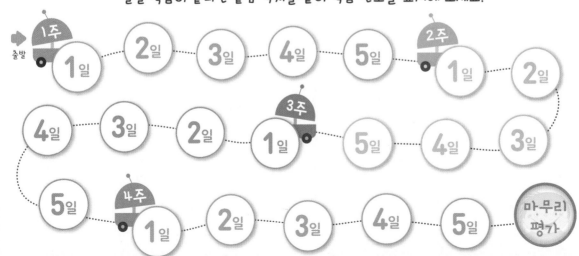

1주 (두 자리 수)＋(한 자리 수)

학습 기준

- 그림을 보고 덧셈을 할 수 있나요? ☐
- 동전을 이용하여 덧셈을 할 수 있나요? ☐
- 뛰어 세기를 이용하여 덧셈을 할 수 있나요? ☐
- 세로로 덧셈을 할 수 있나요? ☐

그림 덧셈

그림을 보고 덧셈을 하세요.

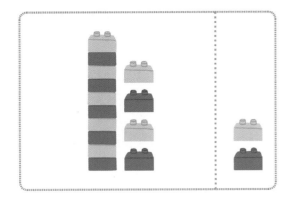

$$14 + 2 = \boxed{16}$$

10묶음이 1개,
낱개가 6개

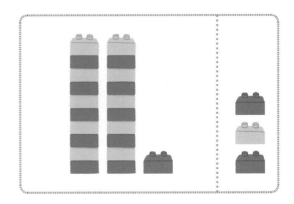

$$21 + 3 = \boxed{}$$

묶음은 묶음끼리,
낱개는 낱개끼리

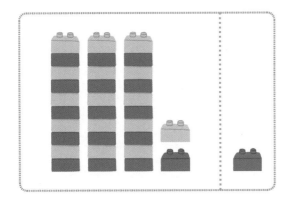

$$32 + 1 = \boxed{}$$

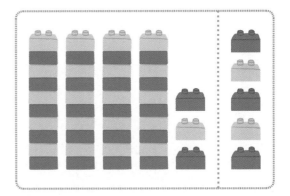

$$43 + 5 = \boxed{}$$

그림을 보고 덧셈을 하세요.

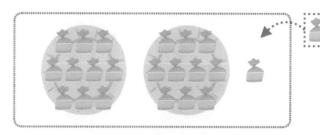

$$21 + 2 = \boxed{}$$

10개씩 묶음의 수는 그대로네.

$$13 + 4 = \boxed{}$$

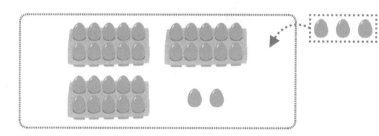

$$32 + 3 = \boxed{}$$

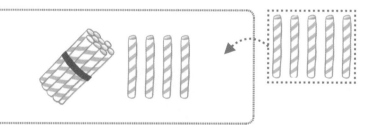

$$14 + 5 = \boxed{}$$

칸토 쌤 받아올림이 없는 (두 자리 수)+(한 자리 수)를 구체물을 보며 계산합니다. 받아올림이 없는 덧셈이라 어려워 보이지 않지만 아직 수식에 익숙하지 않은 아이들에게는 구체물을 눈으로 확인하는 과정이 필요해요.
2일 차에서는 10개씩 묶음을 추상화한 10원짜리 동전을 이용하여 덧셈을 공부합니다.

2일 동전 덧셈

🐛 동전을 보고 덧셈을 하세요.

$$21 + 4 = \boxed{25}$$

두 저금통에 있는 돈을 합쳐.

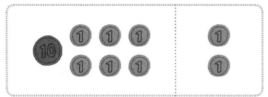

$$16 + 2 = \boxed{}$$

$$34 + 3 = \boxed{}$$

$$23 + 1 = \boxed{}$$

$$42 + 2 = \boxed{}$$

동전 딱지를 붙여 덧셈을 하세요.

돈 모아서 사먹어야지.

$$34 + 2 = \boxed{}$$

1 2개를 더 붙여.

$$15 + 3 = \boxed{}$$

$$26 + 1 = \boxed{}$$

$$31 + 4 = \boxed{}$$

3일 뛰어 덧셈

🐛 화살표를 그려 덧셈을 하세요.

| 11 | 12 | 13 | **14** | 15 | 16 | ⑰ | 18 | 19 | 20 |

$$14 + 3 = \boxed{17}$$

| 41 | 42 | 43 | 44 | 45 | 46 | 47 | **48** | 49 | 50 |

$$48 + 1 = \boxed{}$$

| **21** | 22 | 23 | 24 | 25 | 26 | 27 | 28 | 29 | 30 |

$$21 + 4 = \boxed{}$$

| 31 | 32 | 33 | 34 | 35 | **36** | 37 | 38 | 39 | 40 |

$$36 + 2 = \boxed{}$$

더해지는 수에 색칠하고, 화살표를 그려 덧셈을 하세요.

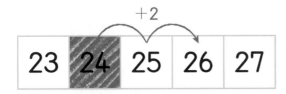

$$24 + 2 = \boxed{26}$$
더해지는 수   더하는 수

더해지는 수는 앞에 있는 수야.

| 34 | 35 | 36 | 37 | 38 |

$$36 + 1 = \boxed{}$$

| 15 | 16 | 17 | 18 | 19 |

$$15 + 3 = \boxed{}$$

| 33 | 34 | 35 | 36 | 37 |

$$34 + 2 = \boxed{}$$

| 43 | 44 | 45 | 46 | 47 |

$$43 + 4 = \boxed{}$$

칸토 쌤   뛰어 덧셈은 더하는 수가 작을 때 뛰어 세기를 이용하여 덧셈을 하는 방법이에요. 6세 단계에서 더하기 1, 2를 배울 때 공부하였어요. 구체물 없이도 쉽게 할 수 있는 방법이므로 50까지 수의 순서를 생각하며 공부해 보세요.

$$26 + 3 = \boxed{}$$
26 27 28 29

세로 덧셈

🐛 동전을 보고 세로로 덧셈을 하세요.

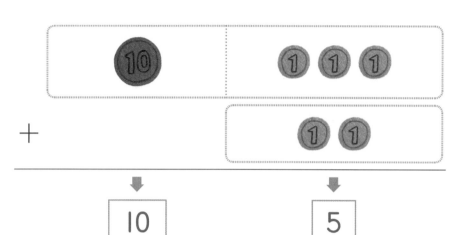

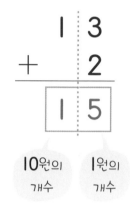

10원의 개수　1원의 개수

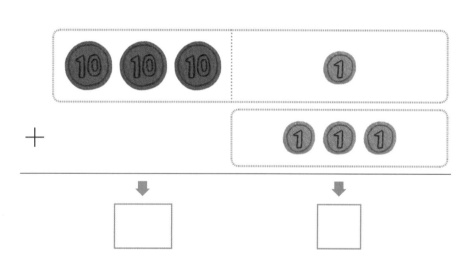

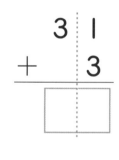

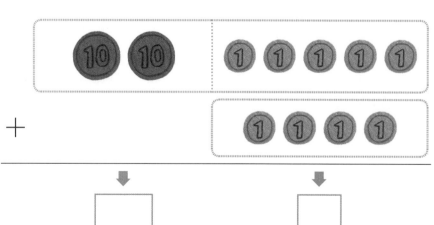

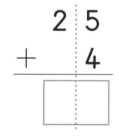

덧셈을 하세요.

$$\begin{array}{r} 3\ 0 \\ +\quad 4 \\ \hline \end{array}$$

$$\begin{array}{r} 1\ 2 \\ +\quad 3 \\ \hline \end{array}$$

$$\begin{array}{r} 3\ 3 \\ +\quad 6 \\ \hline \end{array}$$

$$\begin{array}{r} 1\ 1 \\ +\quad 5 \\ \hline \end{array}$$

$$\begin{array}{r} 4\ 4 \\ +\quad 1 \\ \hline \end{array}$$

$$\begin{array}{r} 2\ 5 \\ +\quad 2 \\ \hline \end{array}$$

$$\begin{array}{r} 3\ 1 \\ +\quad 2 \\ \hline \end{array}$$

$$\begin{array}{r} 2\ 2 \\ +\quad 7 \\ \hline \end{array}$$

$$\begin{array}{r} 4\ 3 \\ +\quad 4 \\ \hline \end{array}$$

30   33   47   48   29

칸토 쌤   세로 덧셈은 자릿수를 맞추어 덧셈을 하는 방법이에요. 큰 수의 덧셈에 주로 사용해요. 하지만 어릴 때 세로셈에 익숙해지면 덧셈의 개념을 중요하게 생각하지 않고 방법만 빨리 배우려 할 수 있으니 세로셈이 편리하다는 것만 느낄 수 있게 유도해 주세요.

$$\begin{array}{r} 2\ 6 \\ +\quad 3 \\ \hline 2\ 9 \end{array}$$

쉽네~

덧셈 연습

관계있는 물고기를 찾아 선으로 이으세요.

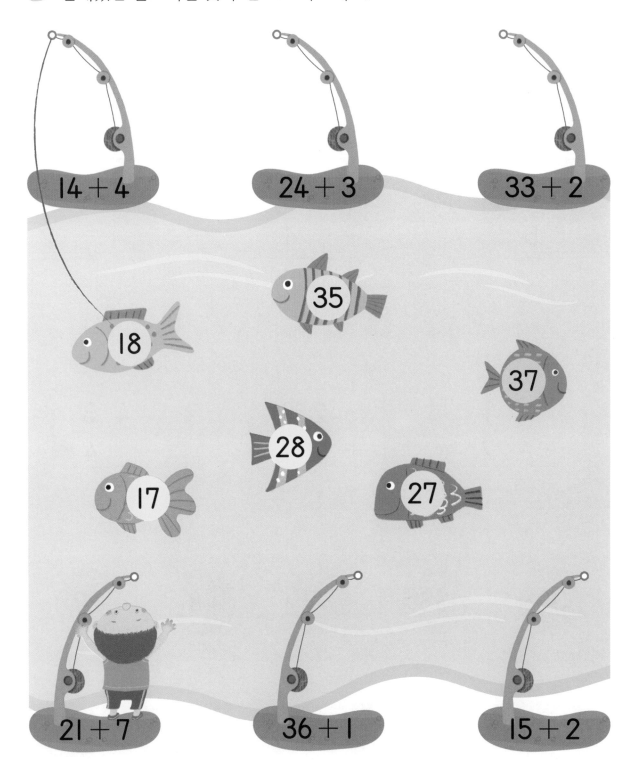

14 + 4

24 + 3

33 + 2

35

18

37

28

17

27

21 + 7

36 + 1

15 + 2

덧셈을 하세요.

$$
\begin{array}{r}
2\ 7 \\
+\quad 2 \\
\hline

\end{array}
\qquad
\begin{array}{r}
4\ 1 \\
+\quad 5 \\
\hline

\end{array}
\qquad
\begin{array}{r}
3\ 6 \\
+\quad 2 \\
\hline

\end{array}
$$

6+2

$16 + 2 = 1\ 8$

그대로

4+5

$34 + 5 = \boxed{}$

그대로

$25 + 3 = \boxed{}$

$42 + 2 = \boxed{}$

$32 + 1 = \boxed{}$

$13 + 4 = \boxed{}$

$44 + 4 = \boxed{}$

$21 + 5 = \boxed{}$

확인학습

 그림을 보고 덧셈을 하세요.

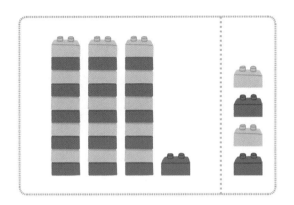

$$31 + 4 = \boxed{}$$

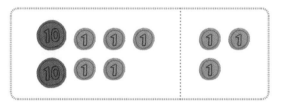

$$25 + 3 = \boxed{}$$

더해지는 수에 색칠하고, 화살표를 그려 덧셈을 하세요.

46	47	48	49	50

$$47 + 2 = \boxed{}$$

 덧셈을 하세요.

$$22 + 4 = \boxed{}$$

$$33 + 6 = \boxed{}$$

$$\begin{array}{r} 4\ 1 \\ +\quad 5 \\ \hline \boxed{} \end{array}$$

➡ 7쪽으로 돌아가 1주 차 학습 기준을 달성했는지 체크해 보세요.

2주 (두 자리 수)−(한 자리 수)

학습 기준

- 그림을 보고 뺄셈을 할 수 있나요? ☐
- 동전을 이용하여 뺄셈을 할 수 있나요? ☐
- 뛰어 세기를 이용하여 뺄셈을 할 수 있나요? ☐
- 세로로 뺄셈을 할 수 있나요? ☐

1일 그림 뺄셈

🐛 그림을 보고 뺄셈을 하세요.

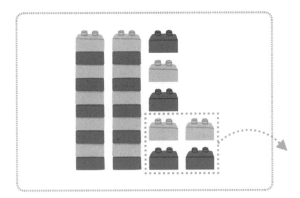

$$27 - 4 = \boxed{}$$

💬 10묶음이 2개, 낱개가 3개

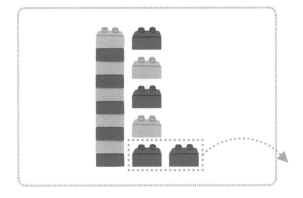

$$16 - 2 = \boxed{}$$

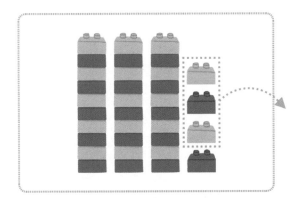

$$34 - 3 = \boxed{}$$

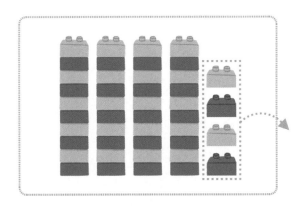

$$44 - 4 = \boxed{}$$

😀 그림을 보고 뺄셈을 하세요.

$26 - 3 =$ ☐

3개 먹어도 묶음의
수는 그대로야.

$32 - 2 =$ ☐

$15 - 4 =$ ☐

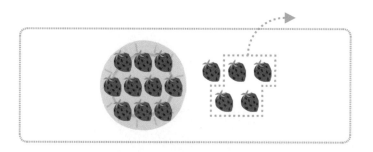

$23 - 1 =$ ☐

🤖 칸토 쌤 받아내림이 없는 (두 자리 수)—(한 자리 수)를 구체물을 보며 계산합니다. 받아올림이 없는 덧셈과 같이 아이들
은 아직 수식에 익숙하지 않으므로 구체물을 눈으로 확인하며 뺄셈을 이해할 수 있도록 유도해 주세요.
2일 차에서는 동전을 이용하여 뺄셈을 공부합니다. 모형 동전을 이용해 보는 것도 좋아요.

동전을 이용하여 뺄셈을 하세요.

2원으로 사탕 사먹을래.

$$34 - 2 = \boxed{}$$

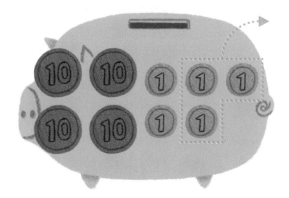

$$17 - 6 = \boxed{}$$

$$45 - 3 = \boxed{}$$

동전을 /으로 지워 뺄셈을 하세요.

$24 - 3 =$ 21

3원을
잃어버렸어.

$16 - 2 =$

$35 - 4 =$

$43 - 1 =$

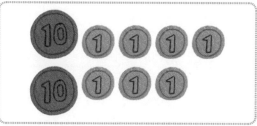

$27 - 2 =$

$38 - 5 =$

🐛 화살표를 그려 뺄셈을 하세요.

| 11 | 12 | 13 | 14 | ⑮ | 16 | 17 | 18 | 19 | 20 |

−2

$$17 - 2 = \boxed{15}$$

| 31 | 32 | 33 | 34 | 35 | 36 | 37 | 38 | 39 | 40 |

$$34 - 1 = \boxed{}$$

| 21 | 22 | 23 | 24 | 25 | 26 | 27 | 28 | 29 | 30 |

$$29 - 3 = \boxed{}$$

| 41 | 42 | 43 | 44 | 45 | 46 | 47 | 48 | 49 | 50 |

$$46 - 4 = \boxed{}$$

🐟 빼지는 수에 색칠하고, 화살표를 그려 뺄셈을 하세요.

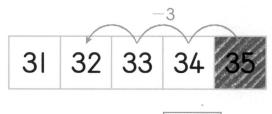

−3

31	32	33	34	35

$$35 - 3 = \boxed{}$$

빼지는 수 빼는 수

빼지는 수는
앞에 있는 수야.

41	42	43	44	45

$$43 - 1 = \boxed{}$$

23	24	25	26	27

$$27 - 4 = \boxed{}$$

11	12	13	14	15

$$14 - 3 = \boxed{}$$

36	37	38	39	40

$$39 - 2 = \boxed{}$$

칸토 쌤 뛰어 뺄셈은 빼는 수가 작을 때 뛰어 세기를 이용하여 뺄셈을 하는 방법이에요. 아이들에게는 앞으로 뛰어 세기보다 거꾸로 뛰어 세기가 더 어려우므로 수 배열표를 이용할 수 있도록 유도해 주세요.

$$37 - 2 = \boxed{}$$

35 36 37

세로 뺄셈

동전을 보고 세로로 뺄셈을 하세요.

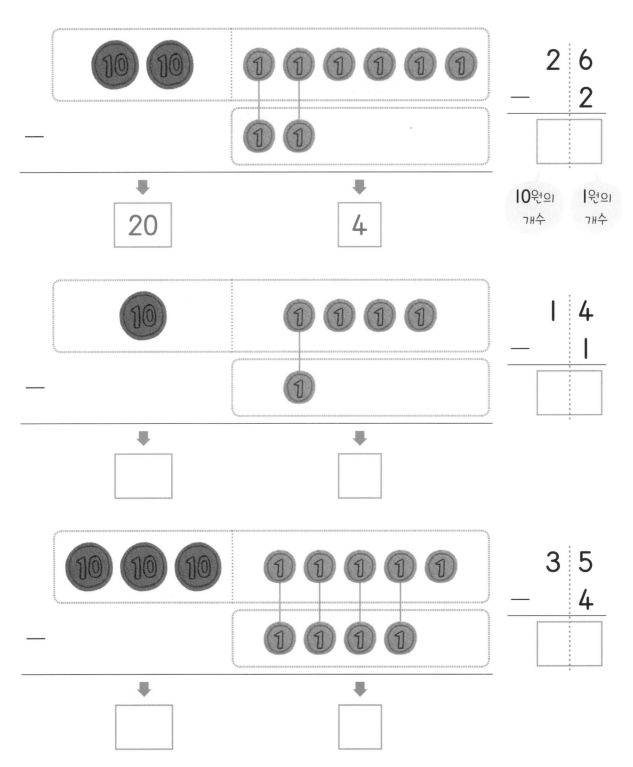

10원의 개수

1원의 개수

$$\begin{array}{r} 2\ 5 \\ -\quad 2 \\ \hline \end{array}$$

$$\begin{array}{r} 1\ 7 \\ -\quad 3 \\ \hline \end{array}$$

$$\begin{array}{r} 3\ 2 \\ -\quad 1 \\ \hline \end{array}$$

$$\begin{array}{r} 4\ 8 \\ -\quad 5 \\ \hline \end{array}$$

$$\begin{array}{r} 3\ 9 \\ -\quad 6 \\ \hline \end{array}$$

$$\begin{array}{r} 1\ 4 \\ -\quad 2 \\ \hline \end{array}$$

🐡 바르게 계산하세요.

$$\begin{array}{r} 3\ 7 \\ -\quad 7 \\ \hline 2\ 0 \end{array}$$

$$\begin{array}{r} 4\ 3 \\ -\quad 2 \\ \hline 4\ 5 \end{array}$$

$$\begin{array}{r} 2\ 8 \\ -\quad 4 \\ \hline 2\ 2 \end{array}$$

🤖 칸토 쌤 | 세로 덧셈에 이어 세로 뺄셈을 공부해요. 십의 자리, 일의 자리라는 말은 사용하지 않지만 10개씩 묶음의 수와 낱개의 수를 세로로 자리를 맞추어 써야 함을 알려주세요. 알고리즘으로만 덧셈, 뺄셈을 공부하면 잘 기억이 나지 않을 수 있어요. 세로셈의 편리함만 느낄 수 있게 유도해 주세요.

47 - 3

$$\begin{array}{r} 4\ 7 \\ -\quad 3 \\ \hline 4\ 4 \end{array}$$
(O)

$$\begin{array}{r} 4\ 7 \\ -3 \\ \hline 1\ 7 \end{array}$$
(X)

알맞은 수를 찾아 색칠하세요.

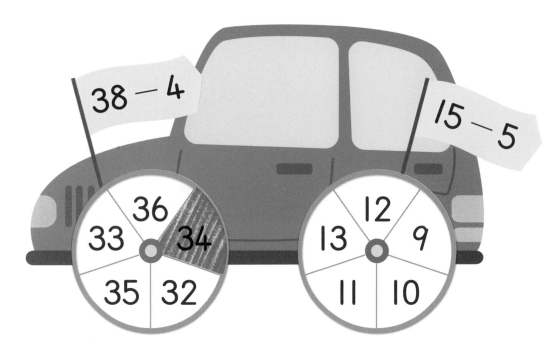

정답을 맞혀야
차가 멈춰.

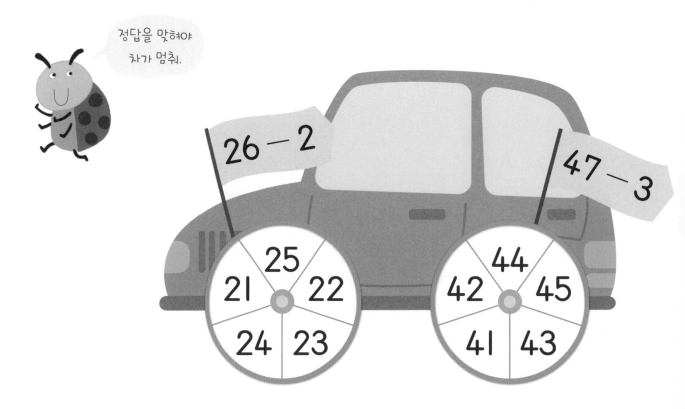

🐸 뺄셈을 하세요.

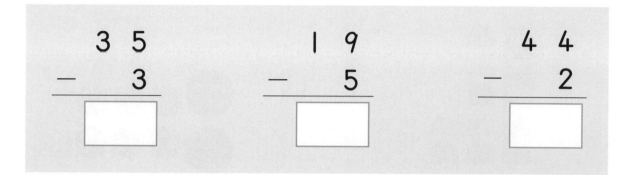

$$\begin{array}{r} 3\ 5 \\ -\quad 3 \\ \hline \end{array}$$

$$\begin{array}{r} 1\ 9 \\ -\quad 5 \\ \hline \end{array}$$

$$\begin{array}{r} 4\ 4 \\ -\quad 2 \\ \hline \end{array}$$

4−1

$34 - 1 = \boxed{3\ 3}$

그대로

8−5

$28 - 5 = \boxed{}$

그대로

$14 - 2 = \boxed{}$

$49 - 3 = \boxed{}$

$29 - 4 = \boxed{}$

$36 - 6 = \boxed{}$

$18 - 7 = \boxed{}$

$43 - 1 = \boxed{}$

확인학습

 그림을 보고 뺄셈을 하세요.

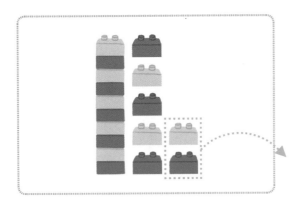

$17 - 2 =$ ☐

$26 - 5 =$ ☐

빼지는 수에 색칠하고 화살표를 그려 뺄셈을 하세요.

36	37	38	39	40

$39 - 3 =$ ☐

 뺄셈을 하세요.

$15 - 4 =$ ☐

$34 - 2 =$ ☐

$$\begin{array}{r} 4\ 5 \\ -\ \ \ 1 \\ \hline \end{array}$$

→ 19쪽으로 돌아가 2주 차 학습 기준을 달성했는지 체크해 보세요.

3주 (두 자리 수)±(한 자리 수)

학습 기준

● 그림을 보고 덧셈과 뺄셈을 할 수 있나요? ☐

● 동전을 이용하여 □가 있는 덧셈, 뺄셈에서 □를 구할 수 있나요? ☐

● 뛰어 세기를 이용하여 □가 있는 덧셈, 뺄셈에서 □를 구할 수 있나요? ☐

 **1**일 **그림 덧셈, 뺄셈**

🐛 그림을 보고 덧셈과 뺄셈을 하세요.

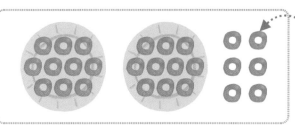

들어갔으니
덧셈!

$26 + 3 =$ ▢

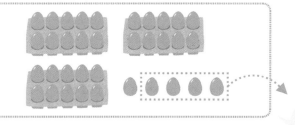

나갔으니
뺄셈!

$35 - 4 =$ ▢

$16 + 2 =$ ▢

$24 - 2 =$ ▢

🐟 그림을 보고 덧셈식과 뺄셈식을 쓰세요.

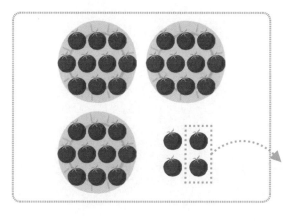

토마토 **34**개 중에서 **2**개를 먹었어.

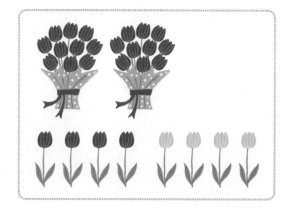

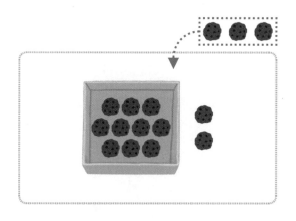

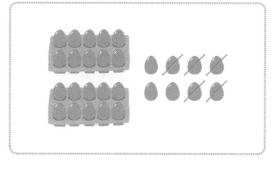

🤖 칸토 쌤 구체물을 보며 덧셈과 뺄셈을 다시 한번 복습합니다. 덧셈과 뺄셈을 더 잘 이해하고 능숙하게 하는 방법 중 하나는 상황을 다양하게 표현하기에요. 구체물을 보고 수식으로 나타내거나, 거꾸로 수식을 그림 또는 이야기로 나타내도록 유도해 주세요.

구체물, 이야기
⬇⬆
수식

2일 덧셈과 뺄셈 연습

알맞은 식을 따라 집까지 가는 길을 그리고, 집에 🐶 딱지를 붙이세요.

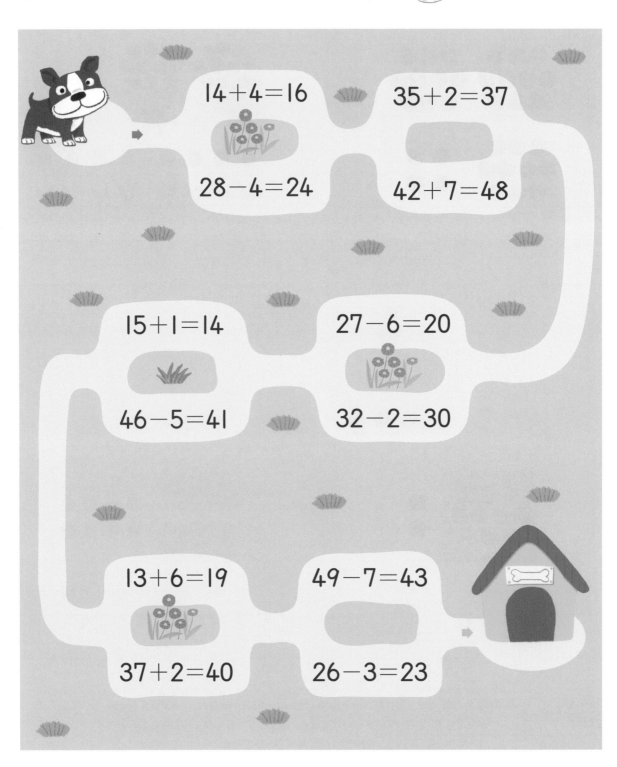

덧셈과 뺄셈을 하세요.

$$25 + 1 = \boxed{}$$

그대로

$$46 - 4 = \boxed{}$$

그대로

$$17 - 3 = \boxed{}$$

$$32 + 2 = \boxed{}$$

$$48 - 7 = \boxed{}$$

$$22 + 6 = \boxed{}$$

$$15 + 3 = \boxed{}$$

$$29 - 5 = \boxed{}$$

□가 있는 덧셈, 뺄셈(1)

동전 딱지를 붙여 빈칸에 알맞은 수를 구하세요.

1이 1개 더 있으면 24원, 3개 더 있으면?

$$23 + \boxed{3} = 26$$

$$15 + \boxed{} = 16$$

$$34 + \boxed{} = 37$$

$$42 + \boxed{} = 46$$

$$27 + \boxed{} = 29$$

동전을 /으로 지워 빈칸에 알맞은 수를 구하세요.

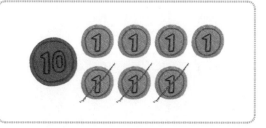

17원에서 얼마를 사용했더니 14원이 남았어.

$17 - \boxed{3} = 14$

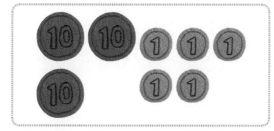

$35 - \boxed{} = 33$

$48 - \boxed{} = 45$

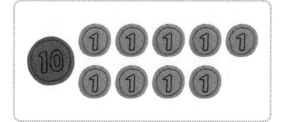

$19 - \boxed{} = 17$

$26 - \boxed{} = 21$

칸토 쌤　□가 있는 두 수의 덧셈과 뺄셈을 동전을 이용하여 공부합니다. 여기서는 식에서 □가 뒤에 있는 경우만 공부해요. 덧셈, 뺄셈의 결과를 구하는 것에 익숙한 아이에게는 어려운 주제이므로 모형 동전을 이용하여 구할 수 있게 지도해 주세요.

□가 있는 덧셈, 뺄셈(2)

화살표를 그려 빈칸에 알맞은 수를 구하세요.

| 21 | 22 | 23 | 24 | 25 | 26 | 27 | 28 | 29 | 30 |

$$24 + \boxed{2} = 26$$

| 11 | 12 | 13 | 14 | 15 | 16 | 17 | 18 | 19 | 20 |

$$16 + \boxed{} = 19$$

| 41 | 42 | 43 | 44 | 45 | 46 | 47 | 48 | 49 | 50 |

$$42 + \boxed{} = 47$$

| 31 | 32 | 33 | 34 | 35 | 36 | 37 | 38 | 39 | 40 |

$$33 + \boxed{} = 35$$

화살표를 그려 빈칸에 알맞은 수를 구하세요.

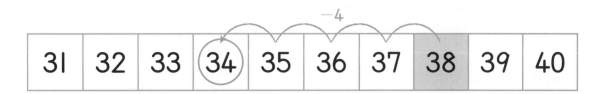

| 31 | 32 | 33 | (34) | 35 | 36 | 37 | 38 | 39 | 40 |

$$38 - \boxed{4} = 34$$

| 41 | 42 | (43) | 44 | 45 | 46 | 47 | 48 | 49 | 50 |

$$45 - \boxed{} = 43$$

| 11 | 12 | 13 | (14) | 15 | 16 | 17 | 18 | 19 | 20 |

$$17 - \boxed{} = 14$$

| 21 | 22 | 23 | 24 | (25) | 26 | 27 | 28 | 29 | 30 |

$$26 - \boxed{} = 25$$

5일 □가 있는 덧셈, 뺄셈 연습

□ 안에 알맞은 수가 적힌 ⬤ 딱지를 빈 곳에 붙이세요.

25-□=21

12+□=14

38-□=31

43+□=49

22+□=27

놀이 기구가 없어졌네!

빈칸에 알맞은 수를 쓰세요.

$$
\begin{array}{r}
4\ 3 \\
+\quad \boxed{} \\
\hline
4\ 7
\end{array}
\qquad
\begin{array}{r}
2\ 8 \\
-\quad \boxed{} \\
\hline
2\ 2
\end{array}
\qquad
\begin{array}{r}
3\ 4 \\
+\quad \boxed{} \\
\hline
3\ 8
\end{array}
$$

$25 + \boxed{} = 28$ $\qquad$ $47 - \boxed{} = 40$

$43 - \boxed{} = 41$ $\qquad$ $14 + \boxed{} = 19$

$32 + \boxed{} = 38$ $\qquad$ $23 - \boxed{} = 22$

$19 - \boxed{} = 11$ $\qquad$ $40 + \boxed{} = 48$

확인학습

▶ 동전을 그리거나 /으로 지워 빈칸에 알맞은 수를 구하세요.

$$14 + \boxed{} = 16$$

$$26 - \boxed{} = 21$$

▶ 화살표를 그려 빈칸에 알맞은 수를 구하세요.

21	22	23	24	25	26	27	28	29	30

$$21 + \boxed{} = 24$$

31	32	33	34	35	36	37	38	39	40

$$35 - \boxed{} = 31$$

▶ 빈칸에 알맞은 수를 쓰세요.

$$46 + \boxed{} = 47$$

$$18 - \boxed{} = 10$$

➡ 31쪽으로 돌아가 3주 차 학습 기준을 달성했는지 체크해 보세요.

4주 세 수의 계산

학습 기준

- 양팔저울을 보고 덧셈과 뺄셈을 할 수 있나요? ☐
- 두 수의 합과 차를 보고 두 수를 구할 수 있나요? ☐
- 세 수의 덧셈과 뺄셈을 할 수 있나요? ☐

1일 저울 셈

양팔저울이 평형을 이루어요. 덧셈을 이용하여 물건의 무게를 구하세요.

$23 + 2 = \boxed{}$

$11 + 7 = \boxed{}$

추가 한쪽에만
있을 때는 덧셈을 해.

$45 + 4 = \boxed{}$

$32 + 5 = \boxed{}$

양팔저울이 평형을 이루어요. 뺄셈을 이용하여 먹을 것의 무게를 구하세요.

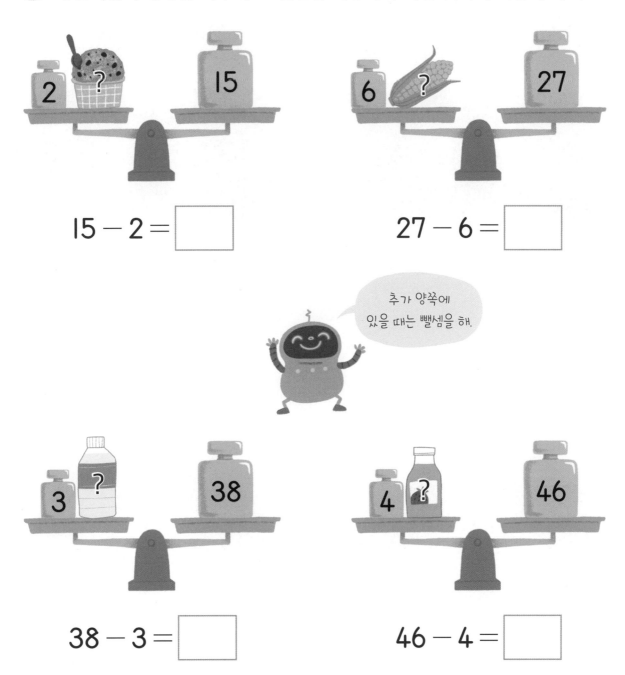

$15 - 2 =$ ☐

$27 - 6 =$ ☐

추가 양쪽에 있을 때는 뺄셈을 해.

$38 - 3 =$ ☐

$46 - 4 =$ ☐

칸토 쌤 | 양팔저울을 이용하여 덧셈과 뺄셈을 공부해요. 양팔저울은 '＝'(등호)를 이해하기에 매우 좋은 도구예요. 어려워하는 아이들도 많으니 아이가 시소를 탄 경험을 떠올리며 덧셈과 뺄셈에 해당하는 상황을 이해하고 계산할 수 있도록 유도해 주세요.

두 수의 합이 ◯ 안의 수가 되는 두 수를 찾아 선으로 이으세요.

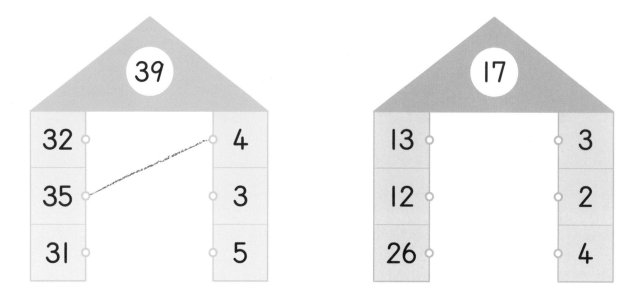

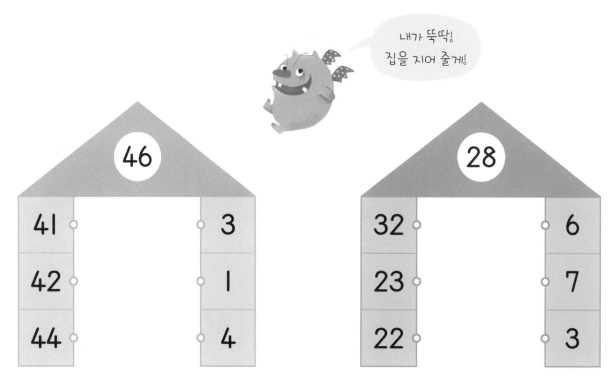

내가 뚝딱!
집을 지어 줄게!

🐟 ☐ 안의 두 수의 차가 가운데 수가 됩니다. 빈칸에 알맞은 수를 쓰세요.

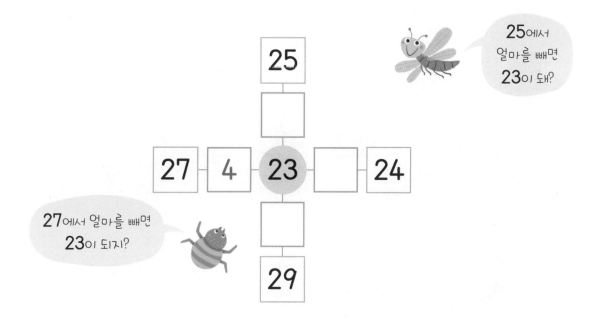

25에서 얼마를 빼면 23이 돼?

27에서 얼마를 빼면 23이 되지?

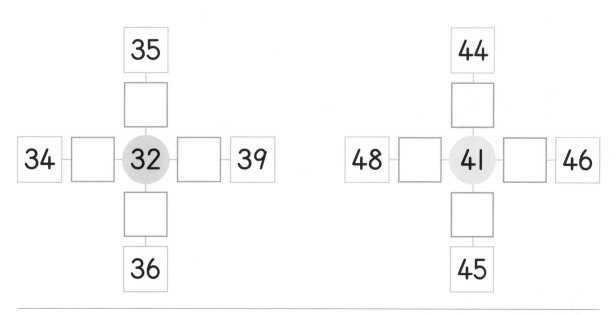

칸토 쌤 | 합과 차는 서로 역연산의 관계이기 때문에 문제를 해결할 때 2가지 방법이 있어요.

두 수의 합: 39
① 덧셈 이용: 35 + ☐ = 39
② 뺄셈 이용: 39 − 35 = ☐

3일 더하고 더하기

🐛 그림을 보고 세 수의 덧셈을 하세요.

13 ·· 14 15 ·· 16

$13 + 2 + 1 = \boxed{}$

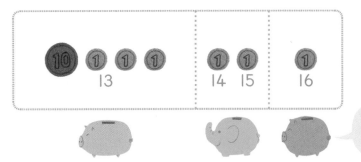

세 저금통의 돈을 모두 합쳐.

$21 + 4 + 2 = \boxed{}$

$42 + 1 + 3 = \boxed{}$

$35 + 2 + 2 = \boxed{}$

덧셈을 하세요.

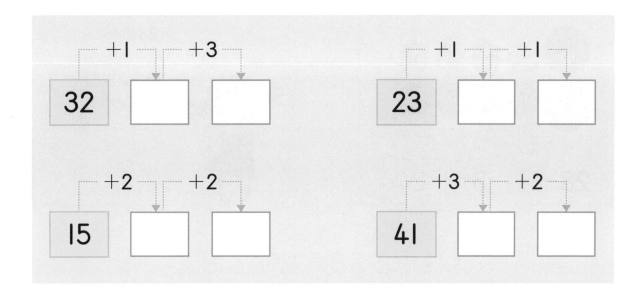

$$40 + 1 + 2 = \boxed{}$$

$$13 + 5 + 1 = \boxed{}$$

$$31 + 2 + 5 = \boxed{}$$

$$44 + 2 + 2 = \boxed{}$$

$$22 + 1 + 4 = \boxed{}$$

$$32 + 3 + 4 = \boxed{}$$

 칸토 쌤   세 수의 덧셈은 계산 순서가 달라도 그 합이 달라지지 않으므로 세 수 중 어떤 두 수를 먼저 더하고, 나머지 한 수를 더해도 된다는 것을 알 수 있게 해 주세요.

$21 + 2 + 4 = \square$ $21 + 2 + 4 = \square$
$21 + 6 = 27$ $25 + 2 = 27$

빼고 빼기

빼는 수만큼 동전을 /으로 지워 세 수의 뺄셈을 하세요.

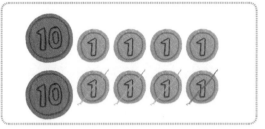

28원 중에서
1원을 사용하고
3원을 사용했어.
얼마 남았지?

$$28 - 1 - 3 = \boxed{24}$$

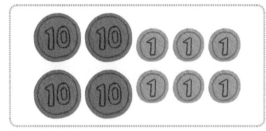

$$46 - 3 - 2 = \boxed{}$$

$$19 - 2 - 4 = \boxed{}$$

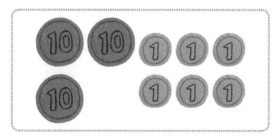

$$25 - 2 - 1 = \boxed{}$$

$$36 - 3 - 3 = \boxed{}$$

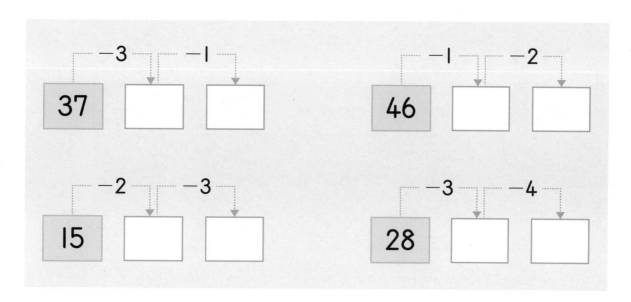

🐟 뺄셈을 하세요.

$$44 - 1 - 2 = \boxed{}$$

$$39 - 1 - 1 = \boxed{}$$

$$26 - 3 - 1 = \boxed{}$$

$$18 - 2 - 3 = \boxed{}$$

$$35 - 1 - 4 = \boxed{}$$

$$47 - 3 - 2 = \boxed{}$$

칸토 쌤 | 세 수의 뺄셈은 앞에서부터 두 수씩 차례로 계산해야 해요. 물론 빼는 수를 모아서 한 번에 뺄 수도 있지만 계산 과정에서 실수하지 않으려면 앞에서부터 차례로 계산하는 것이 좋아요.

$$46 - 4 - 2 = \boxed{} \ (\times)$$
$$46 - 2 = 44$$

5일 세 수의 계산

계산을 하세요.

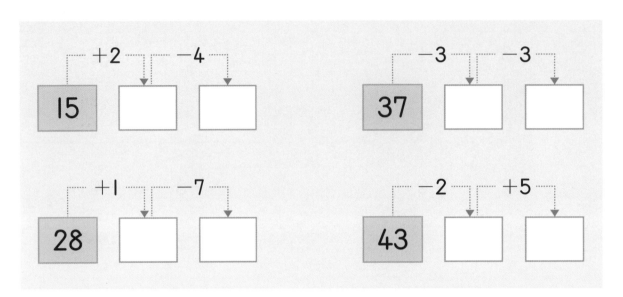

$$32 + 4 + 3 = \boxed{}$$

$$16 - 5 + 6 = \boxed{}$$

$$49 - 2 - 5 = \boxed{}$$

$$35 + 3 - 2 = \boxed{}$$

$$17 - 3 + 4 = \boxed{}$$

$$26 - 1 - 2 = \boxed{}$$

🐡 계산에 맞게 길을 그리세요.

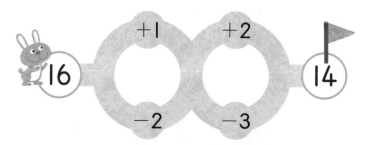

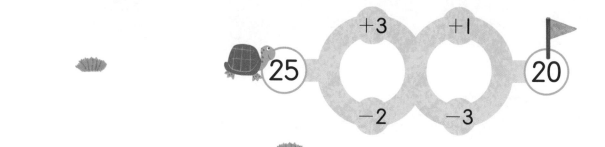

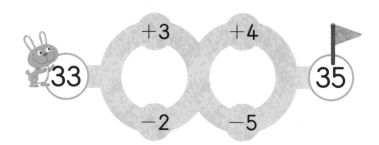

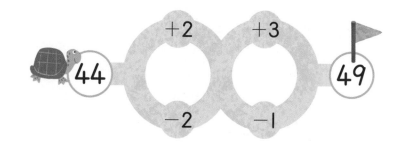

🤖 칸토 쌤 　세 수의 혼합 계산은 순서를 바꾸어 계산하면 계산 결과가 달라질 수 있으니 앞에
서부터 두 수씩 차례로 계산하도록 지도해 주세요.

$25 - 3 + 1 = \square$
$25 - 4 = 21$ (✕)

 양팔저울이 평형을 이루어요. 덧셈과 뺄셈을 이용하여 동물의 무게를 구하세요.

14 + 4 = ☐

46 − 5 = ☐

계산을 하세요.

15 + 2 + 1 = ☐

36 − 1 − 5 = ☐

48 − 3 + 4 = ☐

22 + 7 − 3 = ☐

➡ 43쪽으로 돌아가 4주 차 학습 기준을 달성했는지 체크해 보세요.

마무리 평가

> 마무리 평가에서는 1, 2, 3, 4주 차의 유형이 순서대로 나옵니다.
> 문제가 틀리면 몇 주 차인지 확인하여 반드시 다시 한번 복습합니다.

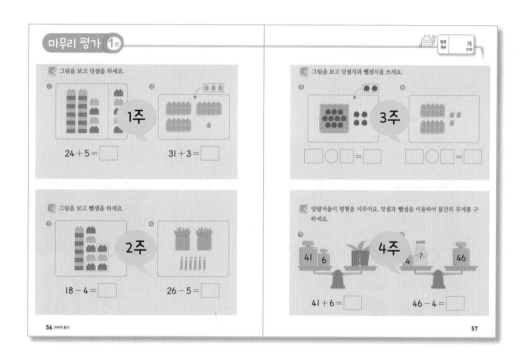

📸 그림을 보고 덧셈을 하세요.

❶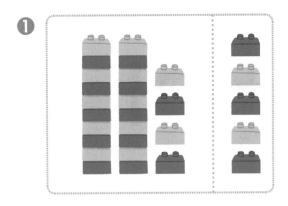

$$24 + 5 = \boxed{}$$

❷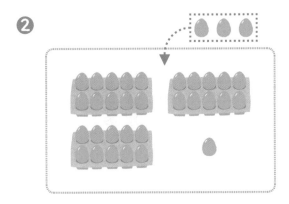

$$31 + 3 = \boxed{}$$

📸 그림을 보고 뺄셈을 하세요.

❸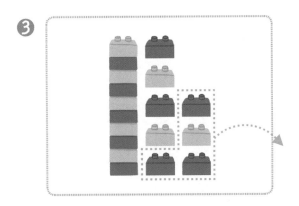

$$18 - 4 = \boxed{}$$

❹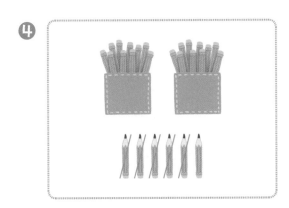

$$26 - 5 = \boxed{}$$

그림을 보고 덧셈식과 뺄셈식을 쓰세요.

❺

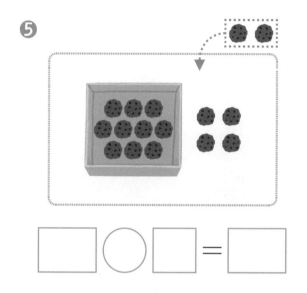

$$\boxed{} \bigcirc \boxed{} = \boxed{}$$

❻

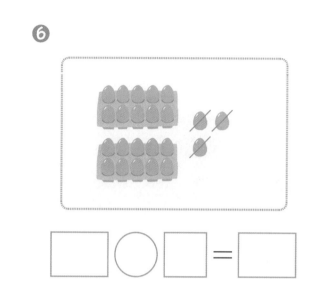

$$\boxed{} \bigcirc \boxed{} = \boxed{}$$

양팔저울이 평형을 이루어요. 덧셈과 뺄셈을 이용하여 물건의 무게를 구하세요.

❼

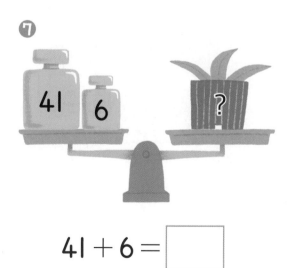

$$41 + 6 = \boxed{}$$

❽

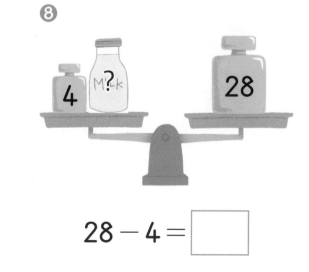

$$28 - 4 = \boxed{}$$

57

동전을 그려 덧셈을 하세요.

❶

$14 + 2 =$ ☐

❷

$32 + 3 =$ ☐

동전을 /으로 지워 뺄셈을 하세요.

❸

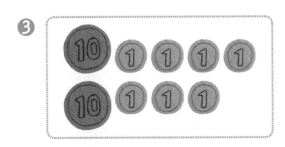

$27 - 1 =$ ☐

❹

$44 - 4 =$ ☐

📢 계산을 하세요.

⑤ 11 + 3 = ☐

⑥ 46 − 5 = ☐

⑦
```
    3 7
  −   4
  ─────
  ☐
```

📢 두 수의 합이 ○ 안의 수가 되는 두 수를 찾아 선으로 이으세요.

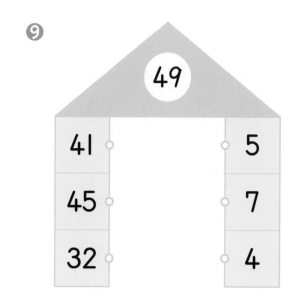

⑧ 26
25   4
12   2
22   3

⑨ 49
41   5
45   7
32   4

59

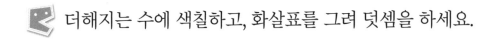 더해지는 수에 색칠하고, 화살표를 그려 덧셈을 하세요.

❶

13	14	15	16	17

$$13 + 4 = \boxed{}$$

❷

21	22	23	24	25

$$22 + 2 = \boxed{}$$

빼지는 수에 색칠하고, 화살표를 그려 뺄셈을 하세요.

❸

25	26	27	28	29

$$28 - 2 = \boxed{}$$

❹

41	42	43	44	45

$$45 - 3 = \boxed{}$$

동전을 그리거나 /으로 지워 ▢ 안에 알맞은 수를 구하세요.

❺

$32 + \boxed{} = 34$

❻

$27 - \boxed{} = 20$

그림을 보고 세 수의 덧셈을 하세요.

❼

$42 + 4 + 2 = \boxed{}$

❽

$31 + 2 + 3 = \boxed{}$

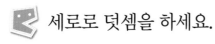

📮 세로로 **덧셈**을 하세요.

①
```
  2 1
+   5
─────
```

②
```
  1 4
+   3
─────
```

③
```
  3 2
+   6
─────
```

📮 세로로 **뺄셈**을 하세요.

④
```
  3 7
-   2
─────
```

⑤
```
  2 9
-   3
─────
```

⑥
```
  4 6
-   5
─────
```

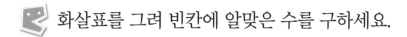 화살표를 그려 빈칸에 알맞은 수를 구하세요.

❼

| 21 | 22 | 23 | **24** | 25 | ㉖ | 27 | 28 | 29 | 30 |

$$24 + \boxed{} = 26$$

❽

| ㉛ | 32 | 33 | 34 | **35** | 36 | 37 | 38 | 39 | 40 |

$$35 - \boxed{} = 31$$

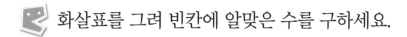 빼는 수만큼 동전을 /으로 지워 세 수의 뺄셈을 하세요.

❾

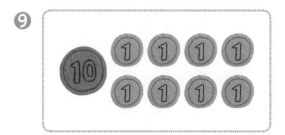

$$18 - 5 - 1 = \boxed{}$$

❿

$$44 - 2 - 2 = \boxed{}$$

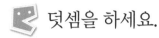

마무리 평가 5회

덧셈을 하세요.

① $25 + 3 = \boxed{}$

② $41 + 4 = \boxed{}$

③
$$
\begin{array}{r}
3\ 3 \\
+\quad 6 \\
\hline
\boxed{}
\end{array}
$$

알맞은 수를 찾아 색칠하세요.

④ $18 - 4$

15
12 16
14 13

⑤ $35 - 2$

31
34 33
32 30

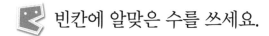
빈칸에 알맞은 수를 쓰세요.

⑥ $16 + \boxed{} = 19$

⑦ $35 - \boxed{} = 30$

⑧
$$
\begin{array}{r}
4\ \ 2 \\
+ \quad \boxed{} \\
\hline
4\ \ 8
\end{array}
$$

계산을 하세요.

⑨ $34 + 5 - 4 = \boxed{}$

⑩ $29 - 4 - 2 = \boxed{}$

⑪ $12 + 3 + 4 = \boxed{}$

⑫ $48 - 7 + 5 = \boxed{}$

실력 평가 ➡ 67쪽

MEMO

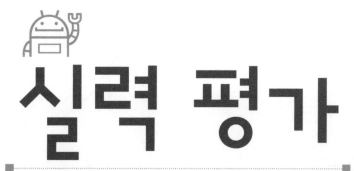

실력 평가

7세 4권

시간	3분	문제 수	20개

배점	1문제 5점 / 총 100점

날짜: _____ 월 _____ 일

이름: _____

점수: _____ 점

사고가 자라는 수학
씨투엠

실력 평가

❶ $12+3=$

❷ $35+2=$

❸ $20+9=$

❹ $44+4=$

❺ $11+6=$

❻ $26+2=$

❼ $34+5=$

❽ $13+1=$

❾ $41+3=$

❿ $25+4=$

⑪ $14-3=$

⑫ $33-1=$

⑬ $46-6=$

⑭ $29-5=$

⑮ $37-2=$

⑯ $25-3=$

⑰ $18-6=$

⑱ $49-4=$

⑲ $23-2=$

⑳ $36-3=$

정답

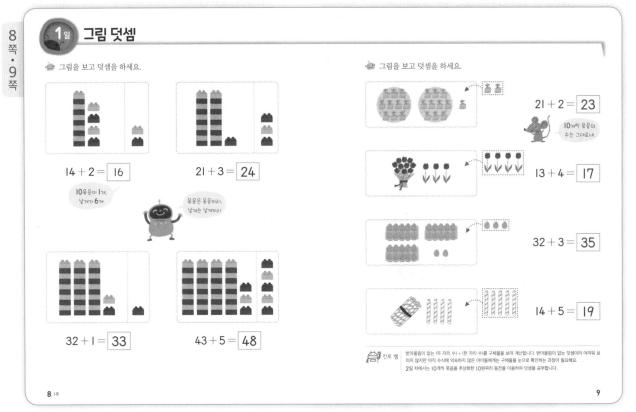

1일 그림 덧셈

8쪽 · 9쪽

그림을 보고 덧셈을 하세요.

14 + 2 = 16

21 + 3 = 24

10묶음이 1개,
낱개가 6개

묶음은 묶음끼리,
낱개는 낱개끼리

32 + 1 = 33

43 + 5 = 48

그림을 보고 덧셈을 하세요.

21 + 2 = 23

10개씩 묶음의
수는 그대로냐.

13 + 4 = 17

32 + 3 = 35

14 + 5 = 19

칸토 쌤 받아올림이 없는 (두 자리 수)＋(한 자리 수)를 구체물을 보며 계산합니다. 받아올림이 있는 덧셈이라 어려워 보이지만 아직 수식에 익숙하지 않은 아이들에게는 구체물을 눈으로 확인하는 과정이 필요해요.
2일 차에서는 10개씩의 묶음을 추상화한 10원짜리 동전을 이용하여 덧셈을 공부합니다.

8·1주

9

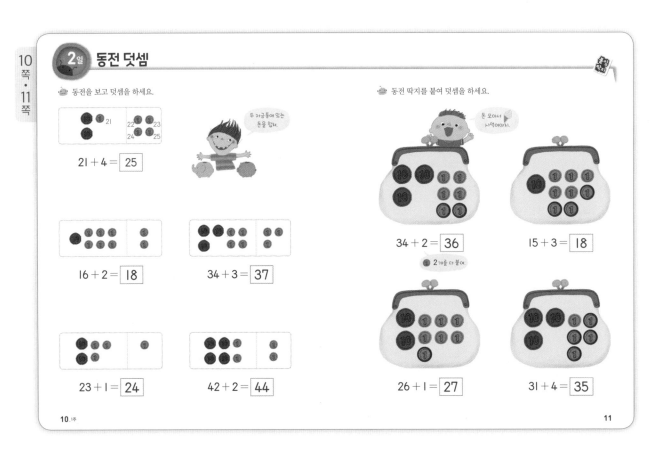

2일 동전 덧셈

10쪽 · 11쪽

동전을 보고 덧셈을 하세요.

21 22 23 24 25

두 저금통에 있는
돈을 합쳐.

21 + 4 = 25

16 + 2 = 18

34 + 3 = 37

23 + 1 = 24

42 + 2 = 44

동전 딱지를 붙여 덧셈을 하세요.

돈 모아서
사먹어야지.

34 + 2 = 36

2개를 더 붙여.

15 + 3 = 18

26 + 1 = 27

31 + 4 = 35

10·1주

11

2

3일 뛰어 덧셈

🐾 화살표를 그려 덧셈을 하세요.

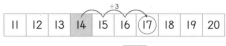

| 11 | 12 | 13 | 14 | 15 | 16 | 17 | 18 | 19 | 20 |

$14+3=$ 17

| 41 | 42 | 43 | 44 | 45 | 46 | 47 | 48 | 49 | 50 |

$48+1=$ 49

| 21 | 22 | 23 | 24 | 25 | 26 | 27 | 28 | 29 | 30 |

$21+4=$ 25

| 31 | 32 | 33 | 34 | 35 | 36 | 37 | 38 | 39 | 40 |

$36+2=$ 38

🐾 더해지는 수에 색칠하고, 화살표를 그려 덧셈을 하세요.

| 23 | 24 | 25 | 26 | 27 |

$24+2=$ 26
더해지는 수 더하는 수

더해지는 수는 앞에 있는 수야.

| 34 | 35 | 36 | 37 | 38 |

$36+1=$ 37

| 15 | 16 | 17 | 18 | 19 |

$15+3=$ 18

| 33 | 34 | 35 | 36 | 37 |

$34+2=$ 36

| 43 | 44 | 45 | 46 | 47 |

$43+4=$ 47

칸토 쌤 뛰어 덧셈은 더하는 수가 작을 때 뛰어 세기를 이용하여 덧셈을 하는 방법이에요. 6세 단계에서 더하기 1, 2를 배울 때 공부하였어요. 구체물 없이 쉽게 할 수 있는 방법이므로 50까지 수의 순서를 생각하며 공부해 보세요.

$26+3=$ ☐
26 27 28 29

4일 세로 덧셈

🐾 동전을 보고 세로로 덧셈을 하세요.

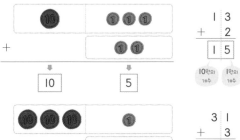

```
  1 3
+   2
  1 5
```
10의   1의
개수   개수

↓   ↓
10   5

```
  3 1
+   3
  3 4
```

↓   ↓
30   4

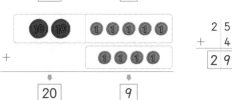

```
  2 5
+   4
  2 9
```

↓   ↓
20   9

🐾 덧셈을 하세요.

```
  3 0        1 2        3 3
+   4      +   3      +   6
  3 4        1 5        3 9
```

```
  1 1        4 4        2 5
+   5      +   1      +   2
  1 6        4 5        2 7
```

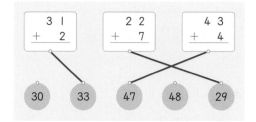

```
  3 1        2 2        4 3
+   2      +   7      +   4
```

30   33   47   48   29

칸토 쌤 세로 덧셈은 자릿수를 맞추어 덧셈을 하는 방법이에요. 큰 수의 덧셈에 주로 사용해요. 하지만 어릴 때 세로셈에 익숙해지면 덧셈의 개념을 중요하게 생각하지 않고 방법만 빨리 배우려 할 수 있으니 세로셈이 편리하다는 것만 느낄 수 있게 유도해 주세요.

```
  2 6
+   3
  2 9
```

5일 덧셈 연습

관계있는 물고기를 찾아 선으로 이으세요.

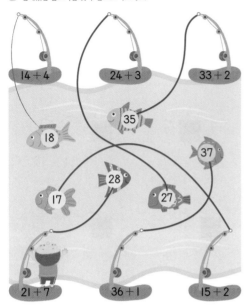

덧셈을 하세요.

$$\begin{array}{r} 2\ 7 \\ +\ \ 2 \\ \hline 2\ 9 \end{array} \qquad \begin{array}{r} 4\ 1 \\ +\ \ 5 \\ \hline 4\ 6 \end{array} \qquad \begin{array}{r} 3\ 6 \\ +\ \ 2 \\ \hline 3\ 8 \end{array}$$

$$16 + 2 = 1\ 8 \qquad 34 + 5 = 3\ 9$$
그대로 그대로

$$25 + 3 = 28 \qquad 42 + 2 = 44$$

$$32 + 1 = 33 \qquad 13 + 4 = 17$$

$$44 + 4 = 48 \qquad 21 + 5 = 26$$

16_1주   17

확인학습

그림을 보고 덧셈을 하세요.

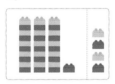

$$31 + 4 = 35 \qquad 25 + 3 = 28$$

더해지는 수에 색칠하고, 화살표를 그려 덧셈을 하세요.

$$47 + 2 = 49$$

덧셈을 하세요.

$$22 + 4 = 26 \qquad \begin{array}{r} 4\ 1 \\ +\ \ 5 \\ \hline 4\ 6 \end{array}$$

$$33 + 6 = 39$$

→ 7쪽으로 돌아가 1주 차 학습 기준을 달성했는지 체크해 보세요

18_1주

1주

4

2주: (두 자리 수) — (한 자리 수)

1일 그림 뺄셈

🐷 그림을 보고 뺄셈을 하세요.

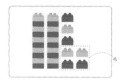

$27 - 4 = \boxed{23}$

$16 - 2 = \boxed{14}$

10묶음이 2개,
낱개가 3개

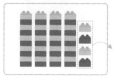

$34 - 3 = \boxed{31}$

$44 - 4 = \boxed{40}$

🐷 그림을 보고 뺄셈을 하세요.

$26 - 3 = \boxed{23}$

3개 먹어도 묶음의
수는 그대로야.

$32 - 2 = \boxed{30}$

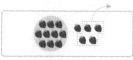

$15 - 4 = \boxed{11}$

$23 - 1 = \boxed{22}$

🏠 칸토 쌤
받아내림이 없는 (두 자리 수)—(한 자리 수)를 구체물을 보며 계산합니다. 받아올림이 없는 덧셈과 같이 아이들
은 아직 수식에 익숙하지 않으므로 구체물을 눈으로 확인하며 뺄셈을 이해할 수 있도록 유도해 주세요.
2일 차에서는 동전을 이용하여 뺄셈을 공부합니다. 모형 동전을 이용해 보는 것도 좋아요.

20 . 2주

21

2일 동전 뺄셈

🐷 동전을 이용하여 뺄셈을 하세요.

2만으로
사탕 사먹을래.

$34 - 2 = \boxed{32}$

$17 - 6 = \boxed{11}$

$45 - 3 = \boxed{42}$

🐷 동전을 / 으로 지워 뺄셈을 하세요.

$24 - 3 = \boxed{21}$

3원을
잃어버렸어.

$16 - 2 = \boxed{14}$

$35 - 4 = \boxed{31}$

$43 - 1 = \boxed{42}$

$27 - 2 = \boxed{25}$

$38 - 5 = \boxed{33}$

22 . 2주

23

5

정답

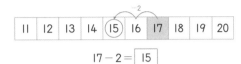

3일 뛰어 뺄셈

🔷 화살표를 그려 뺄셈을 하세요.

| 11 | 12 | 13 | 14 | (15) | 16 | 17 | 18 | 19 | 20 |

$17 - 2 = \boxed{15}$

| 31 | 32 | 33 | 34 | 35 | 36 | 37 | 38 | 39 | 40 |

$34 - 1 = \boxed{33}$

| 21 | 22 | 23 | 24 | 25 | 26 | 27 | 28 | 29 | 30 |

$29 - 3 = \boxed{26}$

| 41 | 42 | 43 | 44 | 45 | 46 | 47 | 48 | 49 | 50 |

$46 - 4 = \boxed{42}$

🔷 빼지는 수에 색칠하고, 화살표를 그려 뺄셈을 하세요.

빼지는 수는 앞에 있는 수야.

| 31 | 32 | 33 | 34 | 35 |

$35 - 3 = \boxed{32}$
빼지는 수 빼는 수

| 41 | 42 | 43 | 44 | 45 |

$43 - 1 = \boxed{42}$

| 23 | 24 | 25 | 26 | 27 |

$27 - 4 = \boxed{23}$

| 11 | 12 | 13 | 14 | 15 |

$14 - 3 = \boxed{11}$

| 36 | 37 | 38 | 39 | 40 |

$39 - 2 = \boxed{37}$

🚗 칸토 쌤 뛰어 뺄셈은 빼는 수가 작을 때 뛰어 세기를 이용하여 뺄셈을 하는 방법이에요. 아이들에게는 앞으로 뛰어 세기보다 거꾸로 뛰어 세기가 더 어려우므로 수 배열표를 이용할 수 있도록 유도해 주세요.

37 - 2 = ☐
35 36 37

4일 세로 뺄셈

🐷 동전을 보고 세로로 뺄셈을 하세요.

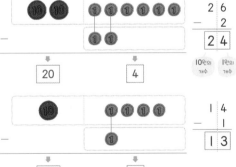

```
  2 6
-   2
  2 4
```

10원의 1원의
개수 개수

↓ 20   ↓ 4

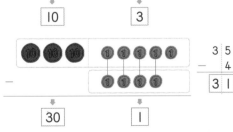

```
  1 4
-   1
  1 3
```

↓ 10   ↓ 3

```
  3 5
-   4
  3 1
```

↓ 30   ↓ 1

🐷 뺄셈을 하세요.

```
  2 5        1 7        3 2
-   2      -   3      -   1
  2 3        1 4        3 1
```

```
  4 8        3 9        1 4
-   5      -   6      -   2
  4 3        3 3        1 2
```

🐷 바르게 계산하세요.

```
  3 7        4 3        2 8
-   7      -   2      -   4
  2 0        4 5        2 2
  3 0        4 1        2 4
```

🚗 칸토 쌤 세로 덧셈에 이어 세로 뺄셈을 공부해요. 십의 자리, 일의 자리라는 말은 사용하지 않지만 10개씩 묶음의 수와 낱개의 수를 세로로 자리를 맞추어 써야 함을 알려주세요. 알고리즘으로만 덧셈, 뺄셈을 공부하면 잘 기억이 나지 않을 수 있어요. 세로 셈의 편리함이 느낄 수 있게 유도해 주세요.

47 - 3
```
  4 7      4 7
-   3    -   3
  4 4      1 7
  (o)      (×)
```

5일 **뺄셈 연습**

알맞은 수를 찾아 색칠하세요.

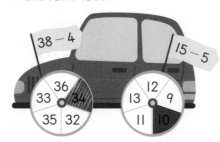

38 — 4

15 — 5

36
33 · 34
35 · 32

12
13 · 9
11 · 10

 정답을 맞혀야
차가 멈춰.

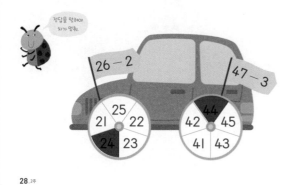

26 — 2

47 — 3

25
21 · 22
24 · 23

44
42 · 45
41 · 43

뺄셈을 하세요.

```
    3 5          1 9          4 4
  —   3        —   5        —   2
  ───────      ───────      ───────
    3 2          1 4          4 2
```

4 — 1
34 — 1 = **3 3**
그대로

8 — 5
28 — 5 = **2 3**
그대로

14 — 2 = **12**

49 — 3 = **46**

29 — 4 = **25**

36 — 6 = **30**

18 — 7 = **11**

43 — 1 = **42**

확인학습

그림을 보고 뺄셈을 하세요.

17 — 2 = **15**

26 — 5 = **21**

빼지는 수에 색칠하고 화살표를 그려 뺄셈을 하세요.

| 36 | 37 | 38 | 39 | 40 |

39 — 3 = **36**

뺄셈을 하세요.

15 — 4 = **11**

```
    4 5
  —   1
  ───────
    4 4
```

34 — 2 = **32**

2주

19쪽으로 돌아가 **2**주 차 학습 기준을 달성했는지 체크해 보세요.

정답

3주: (두 자리 수) ± (한 자리 수)

1일 그림 덧셈, 뺄셈

그림을 보고 덧셈과 뺄셈을 하세요.

$26 + 3 = \boxed{29}$

들어갔으니
덧셈

$35 - 4 = \boxed{31}$

나갔으니
뺄셈

$16 + 2 = \boxed{18}$

$24 - 2 = \boxed{22}$

그림을 보고 덧셈식과 뺄셈식을 쓰세요.

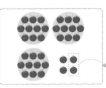

$\boxed{34} \ominus \boxed{2} = \boxed{32}$

토마토 34개 중에서
2개를 먹었어.

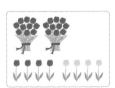

$\boxed{24} \oplus \boxed{4} = \boxed{28}$

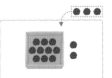

$\boxed{12} \oplus \boxed{3} = \boxed{15}$

$\boxed{28} \ominus \boxed{5} = \boxed{23}$

구체물을 보며 덧셈과 뺄셈을 다시 한번 복습합니다. 덧셈과 뺄셈을 더 잘 이해하고 능숙하게 하는 방법 중 하나는 상황을 다양하게 표현하기에요. 구체물을 보고 식으로 나타내거나, 거꾸로 수식을 그림 또는 이야기로 나타내도록 유도해 주세요.

구체물, 이야기
수식

2일 덧셈과 뺄셈 연습

알맞은 식을 따라 집까지 가는 길을 그리고, 집에 딱지를 붙이세요.

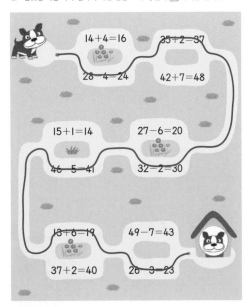

$14 + 4 = 16$
$35 + 2 = 37$
$28 - 4 = 24$
$42 + 7 = 48$
$15 + 1 = 14$
$27 - 6 = 20$
$46 - 5 = 41$
$32 - 2 = 30$
$13 + 6 = 19$
$49 - 7 = 43$
$37 + 2 = 40$
$26 - 3 = 23$

덧셈과 뺄셈을 하세요.

$$\begin{array}{r} 4\ 5 \\ -\ \ 2 \\ \hline \boxed{4\ 3} \end{array} \qquad \begin{array}{r} 1\ 6 \\ +\ \ 1 \\ \hline \boxed{1\ 7} \end{array} \qquad \begin{array}{r} 3\ 7 \\ -\ \ 5 \\ \hline \boxed{3\ 2} \end{array}$$

$5+1$
$25 + 1 = \boxed{2\ 6}$
그대로

$6-4$
$46 - 4 = \boxed{4\ 2}$
그대로

$17 - 3 = \boxed{14}$

$32 + 2 = \boxed{34}$

$48 - 7 = \boxed{41}$

$22 + 6 = \boxed{28}$

$15 + 3 = \boxed{18}$

$29 - 5 = \boxed{24}$

3일 □가 있는 덧셈, 뺄셈(1)

🪙 동전 딱지를 붙여 빈칸에 알맞은 수를 구하세요.

$23 + \boxed{3} = 26$

$15 + \boxed{1} = 16$

$34 + \boxed{3} = 37$

$42 + \boxed{4} = 46$

$27 + \boxed{2} = 29$

🪙 동전을 /으로 지워 빈칸에 알맞은 수를 구하세요.

$17 - \boxed{3} = 14$

$35 - \boxed{2} = 33$

$48 - \boxed{3} = 45$

$19 - \boxed{2} = 17$

$26 - \boxed{5} = 21$

🏠 칸토 쌤 □가 있는 두 수의 덧셈과 뺄셈을 동전을 이용하여 공부합니다. 여기서는 식에서 □가 뒤에 있는 경우만 공부해요. 덧셈, 뺄셈의 결과를 구하는 것에 익숙한 아이에게는 어려운 주제이므로 모형 동전을 이용하여 구할 수 있게 지도해 주세요.

4일 □가 있는 덧셈, 뺄셈(2)

🪙 화살표를 그려 빈칸에 알맞은 수를 구하세요.

| 21 | 22 | 23 | 24 | 25 | 26 | 27 | 28 | 29 | 30 |

$24 + \boxed{2} = 26$

| 11 | 12 | 13 | 14 | 15 | 16 | 17 | 18 | 19 | 20 |

$16 + \boxed{3} = 19$

| 41 | 42 | 43 | 44 | 45 | 46 | 47 | 48 | 49 | 50 |

$42 + \boxed{5} = 47$

| 31 | 32 | 33 | 34 | 35 | 36 | 37 | 38 | 39 | 40 |

$33 + \boxed{2} = 35$

🪙 화살표를 그려 빈칸에 알맞은 수를 구하세요.

| 31 | 32 | 33 | 34 | 35 | 36 | 37 | 38 | 39 | 40 |

$38 - \boxed{4} = 34$

| 41 | 42 | 43 | 44 | 45 | 46 | 47 | 48 | 49 | 50 |

$45 - \boxed{2} = 43$

| 11 | 12 | 13 | 14 | 15 | 16 | 17 | 18 | 19 | 20 |

$17 - \boxed{3} = 14$

| 21 | 22 | 23 | 24 | 25 | 26 | 27 | 28 | 29 | 30 |

$26 - \boxed{1} = 25$

🏠 칸토 쌤 □가 있는 두 수의 덧셈과 뺄셈을 뛰어 세기를 이용하여 공부합니다. 앞으로 세기, 거꾸로 세기를 잘하는 아이에게는 수 배열표 없이도 □를 구할 수 있게 도와주세요.

5일 □가 있는 덧셈, 뺄셈 연습

□ 안에 알맞은 수가 적힌 딱지를 빈 곳에 붙이세요.

$12+\boxed{2}=14$

$25-\boxed{4}=21$

$38-\boxed{7}=31$

$43+\boxed{6}=49$

$22+\boxed{5}=27$

빈칸에 알맞은 수를 쓰세요.

```
  4 3          2 8          3 4
+  4        -  6        +  4
  4 7          2 2          3 8
```

$25+\boxed{3}=28$ $47-\boxed{7}=40$

$43-\boxed{2}=41$ $14+\boxed{5}=19$

$32+\boxed{6}=38$ $23-\boxed{1}=22$

$19-\boxed{8}=11$ $40+\boxed{8}=48$

확인학습

동전을 그리거나 /으로 지워 빈칸에 알맞은 수를 구하세요.

$14+\boxed{2}=16$ $26-\boxed{5}=21$

화살표를 그려 빈칸에 알맞은 수를 구하세요.

$21+\boxed{3}=24$

$35-\boxed{4}=31$

빈칸에 알맞은 수를 쓰세요.

$46+\boxed{1}=47$ $18-\boxed{8}=10$

3주

10

4주: 세 수의 계산

1일 저울 셈

● 양팔저울이 평형을 이루어요. 덧셈을 이용하여 물건의 무게를 구하세요.

$23 + 2 = \boxed{25}$

$11 + 7 = \boxed{18}$

추가 한쪽에만 있을 때는 덧셈을 해요.

$45 + 4 = \boxed{49}$

$32 + 5 = \boxed{37}$

● 양팔저울이 평형을 이루어요. 뺄셈을 이용하여 먹을 것의 무게를 구하세요.

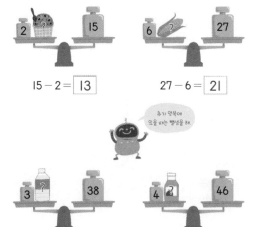

$15 - 2 = \boxed{13}$

$27 - 6 = \boxed{21}$

추가 약쪽에 있을 때는 뺄셈을 해요.

$38 - 3 = \boxed{35}$

$46 - 4 = \boxed{42}$

칸토 쌤 양팔저울을 이용하여 덧셈과 뺄셈을 공부해요. 양팔저울은 '='(등호)를 이해하기에 매우 좋은 도구예요. 어려워하는 아이들도 많으니 아이가 시소를 탄 경험을 떠올리며 덧셈과 뺄셈에 해당하는 상황을 이해하고 계산할 수 있도록 유도해 주세요.

44 .4주

45

2일 합과 차

● 두 수의 합이 ○ 안의 수가 되는 두 수를 찾아 선으로 이으세요.

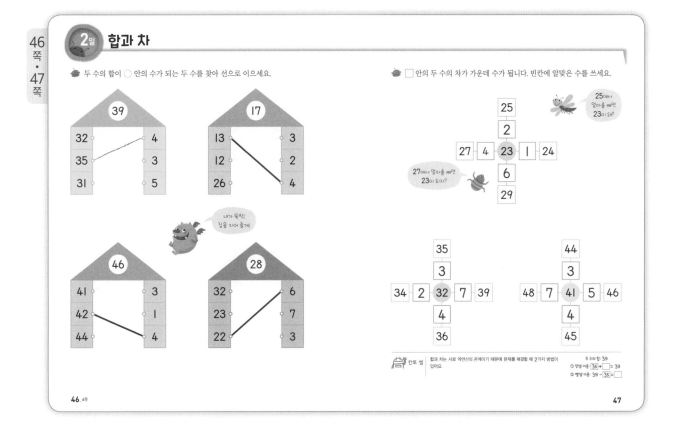

내가 뚝딱! 집을 지어 줄게!

● □ 안의 두 수의 차가 가운데 수가 됩니다. 빈칸에 알맞은 수를 쓰세요.

25에서 얼마를 빼면 23이 되지?

27에서 얼마를 빼면 23이 되지?

칸토 쌤 합과 차는 서로 역연산의 관계이기 때문에 문제를 해결할 때 2가지 방법이 있어요.

두 수의 합: 39
① 덧셈 이용: $\boxed{35}$ + □ = 39
② 뺄셈 이용: 39 - $\boxed{35}$ = □

46 .4주

47

11

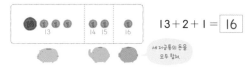

3월 더하고 더하기

🐷 그림을 보고 세 수의 덧셈을 하세요.

$13 + 2 + 1 = \boxed{16}$

세 저금통의 돈을 모두 합쳐.

$21 + 4 + 2 = \boxed{27}$

$42 + 1 + 3 = \boxed{46}$

$35 + 2 + 2 = \boxed{39}$

🐷 덧셈을 하세요.

$+1$	$+3$
32	33	36

$+1$	$+1$
23	24	25

$+2$	$+2$
15	17	19

$+3$	$+2$
41	44	46

$40 + 1 + 2 = \boxed{43}$

$13 + 5 + 1 = \boxed{19}$

$31 + 2 + 5 = \boxed{38}$

$44 + 2 + 2 = \boxed{48}$

$22 + 1 + 4 = \boxed{27}$

$32 + 3 + 4 = \boxed{39}$

🚙 칸토 쌤 세 수의 덧셈은 계산 순서가 달라도 그 합이 달라지 않으므로 세 수 중 어떤 두 수를 먼저 더하고, 나머지 한 수를 더해도 된다는 것을 알 수 있게 해 주세요.

$21 + 2 + 4 = \square$
$21 + 6 = 27$

$21 + 2 + 4 = \square$
$25 + 2 = 27$

4월 빼고 빼기

🐷 빼는 수만큼 동전을 /으로 지워 세 수의 뺄셈을 하세요.

28원 중에서 1원을 사용하고 3원을 사용했어. 얼마 남았지?

$28 - 1 - 3 = \boxed{24}$

$46 - 3 - 2 = \boxed{41}$

$19 - 2 - 4 = \boxed{13}$

$25 - 2 - 1 = \boxed{22}$

$36 - 3 - 3 = \boxed{30}$

🐷 뺄셈을 하세요.

-3	-1
37	34	33

-1	-2
46	45	43

-2	-3
15	13	10

-3	-4
28	25	21

$44 - 1 - 2 = \boxed{41}$

$39 - 1 - 1 = \boxed{37}$

$26 - 3 - 1 = \boxed{22}$

$18 - 2 - 3 = \boxed{13}$

$35 - 1 - 4 = \boxed{30}$

$47 - 3 - 2 = \boxed{42}$

🚙 칸토 쌤 세 수의 뺄셈은 앞에서부터 두 수씩 차례로 계산해야 해요. 물론 빼는 수를 모아서 한 번에 뺄 수도 있지만 계산 과정에서 실수하지 않으려면 앞에서부터 차례로 계산하는 것이 좋아요.

$46 - 4 - 2 = \square$
$46 - 2 = 44$ (x)

5일 세 수의 계산

계산을 하세요.

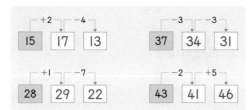

+2	−4		−3	−3
15	17	13	37	34	31

+1	−7		−2	+5
28	29	22	43	41	46

$32 + 4 + 3 = \boxed{39}$ 　　$16 − 5 + 6 = \boxed{17}$

$49 − 2 − 5 = \boxed{42}$ 　　$35 + 3 − 2 = \boxed{36}$

$17 − 3 + 4 = \boxed{18}$ 　　$26 − 1 − 2 = \boxed{23}$

52 .4주

계산에 맞게 길을 그리세요.

16 　+1 　+2 　14
　 　−2 　−3

25 　+3 　+1 　20
　 　−2 　−3

33 　+3 　+4 　35
　 　−2 　−5

44 　+2 　+3 　49
　 　−2 　−1

칸토 쌤 세 수의 혼합 계산은 순서를 바꾸어 계산하면 계산 결과가 달라질 수 있으니 앞에 서부터 두 수씩 차례로 계산하도록 지도해 주세요.

$25 − 3 + 1 = \boxed{}_{(×)}$
$25 − 4 = 21$

53

확인학습

양팔저울이 평형을 이루어요. 덧셈과 뺄셈을 이용하여 동물의 무게를 구하세요.

$14 + 4 = \boxed{18}$ 　　$46 − 5 = \boxed{41}$

계산을 하세요.

$15 + 2 + 1 = \boxed{18}$ 　　$36 − 1 − 5 = \boxed{30}$

$48 − 3 + 4 = \boxed{49}$ 　　$22 + 7 − 3 = \boxed{26}$

→ 43쪽으로 돌아가 4주 차 학습 기준을 달성했는지 체크해 보세요

54 .4주

4주

마무리 평가

마무리 평가 1회

맞은 개수 | 개 (8개)

📝 그림을 보고 덧셈을 하세요.

❶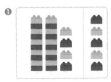

$24 + 5 = \boxed{29}$

❷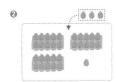

$31 + 3 = \boxed{34}$

📝 그림을 보고 덧셈식과 뺄셈식을 쓰세요.

❺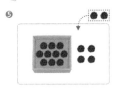

$14 \boxed{+} \boxed{2} = 16$

❻

$23 \boxed{-} \boxed{3} = 20$

📝 그림을 보고 뺄셈을 하세요.

❸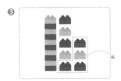

$18 - 4 = \boxed{14}$

❹

$26 - 5 = \boxed{21}$

📝 양팔저울이 평형을 이루어요. 덧셈과 뺄셈을 이용하여 물건의 무게를 구하세요.

❼

$41 + 6 = \boxed{47}$

❽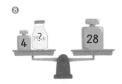

$28 - 4 = \boxed{24}$

56. 마무리 평가

57

마무리 평가 2회

맞은 개수 | 개 (9개)

📝 동전을 그려 덧셈을 하세요.

❶

$14 + 2 = \boxed{16}$

❷

$32 + 3 = \boxed{35}$

📝 계산을 하세요.

❺ $11 + 3 = \boxed{14}$

❻ $46 - 5 = \boxed{41}$

❼
$$\begin{array}{r} 3\ 7 \\ -\ \ 4 \\ \hline 3\ 3 \end{array}$$

📝 동전을 /으로 지워 뺄셈을 하세요.

❸

$27 - 1 = \boxed{26}$

❹

$44 - 4 = \boxed{40}$

📝 두 수의 합이 ◯ 안의 수가 되는 두 수를 찾아 선으로 이으세요.

❽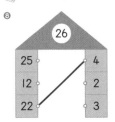

❾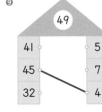

58. 마무리 평가

59

14

마무리 평가 3회

🐾 더해지는 수에 색칠하고, 화살표를 그려 덧셈을 하세요.

❶

13 | 14 | 15 | 16 | 17

$13 + 4 = \boxed{17}$

❷

21 | 22 | 23 | 24 | 25

$22 + 2 = \boxed{24}$

🐾 빼지는 수에 색칠하고, 화살표를 그려 뺄셈을 하세요.

❸

25 | 26 | 27 | 28 | 29

$28 - 2 = \boxed{26}$

❹

41 | 42 | 43 | 44 | 45

$45 - 3 = \boxed{42}$

🐾 동전을 그리거나 /으로 지워 ☐ 안에 알맞은 수를 구하세요.

❺

$32 + \boxed{2} = 34$

❻

$27 - \boxed{7} = 20$

🐾 그림을 보고 세 수의 덧셈을 하세요.

❼

$42 + 4 + 2 = \boxed{48}$

❽

$31 + 2 + 3 = \boxed{36}$

마무리 평가 4회

🐾 세로로 덧셈을 하세요.

❶
```
  2 1
+   5
─────
  2 6
```

❷
```
  1 4
+   3
─────
  1 7
```

❸
```
  3 2
+   6
─────
  3 8
```

🐾 세로로 뺄셈을 하세요.

❹
```
  3 7
−   2
─────
  3 5
```

❺
```
  2 9
−   3
─────
  2 6
```

❻
```
  4 6
−   5
─────
  4 1
```

🐾 화살표를 그려 빈칸에 알맞은 수를 구하세요.

❼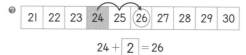

21 | 22 | 23 | 24 | 25 | 26 | 27 | 28 | 29 | 30

$24 + \boxed{2} = 26$

❽

31 | 32 | 33 | 34 | 35 | 36 | 37 | 38 | 39 | 40

$35 - \boxed{4} = 31$

🐾 빼는 수만큼 동전을 /으로 지워 세 수의 뺄셈을 하세요.

❾

$18 - 5 - 1 = \boxed{12}$

❿

$44 - 2 - 2 = \boxed{40}$

마무리 평가 5회

맞은
개수   개
(12개)

📖 덧셈을 하세요.

❶ $25 + 3 = \boxed{28}$

❸
$$\begin{array}{r} 3\ 3 \\ +\ \ 6 \\ \hline \boxed{3\ 9} \end{array}$$

❷ $41 + 4 = \boxed{45}$

📖 빈칸에 알맞은 수를 쓰세요.

❻ $16 + \boxed{3} = 19$

❽
$$\begin{array}{r} 4\ 2 \\ +\ \ \boxed{6} \\ \hline 4\ 8 \end{array}$$

❼ $35 - \boxed{5} = 30$

📖 알맞은 수를 찾아 색칠하세요.

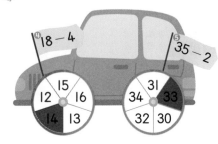

❹ $18 - 4$
❺ $35 - 2$

15
12　16
14　13

31
34　33
32　30

📖 계산을 하세요.

❾ $34 + 5 - 4 = \boxed{35}$

❿ $29 - 4 - 2 = \boxed{23}$

⓫ $12 + 3 + 4 = \boxed{19}$

⓬ $48 - 7 + 5 = \boxed{46}$

실력 평가 → 67쪽

64_마무리 평가

65

칸토의 연산　7세　4권　실력 평가

❶ $12 + 3 = 15$

⓫ $14 - 3 = 11$

❷ $35 + 2 = 37$

⓬ $33 - 1 = 32$

❸ $20 + 9 = 29$

⓭ $46 - 6 = 40$

❹ $44 + 4 = 48$

⓮ $29 - 5 = 24$

❺ $11 + 6 = 17$

⓯ $37 - 2 = 35$

❻ $26 + 2 = 28$

⓰ $25 - 3 = 22$

❼ $34 + 5 = 39$

⓱ $18 - 6 = 12$

❽ $13 + 1 = 14$

⓲ $49 - 4 = 45$

❾ $41 + 3 = 44$

⓳ $23 - 2 = 21$

❿ $25 + 4 = 29$

⓴ $36 - 3 = 33$

68_실력 평가

6쪽

11쪽, 36쪽

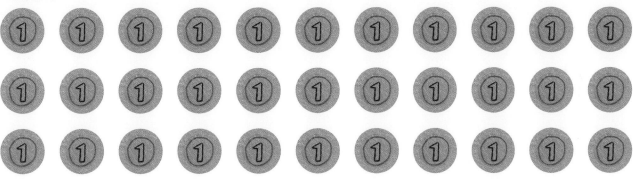

34쪽

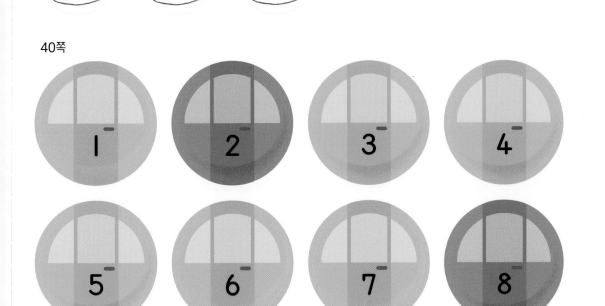

40쪽

1	2	3	4
5	6	7	8